Ffair Sborion

gan

Mared Lewis

DREF WEN

I Elis ac Iddon

Pennod Un

Roedd hi'n ddiwedd tymor ac yn amser cynnal y ffair sborion yn Ysgol Pen Clip. Rhoddodd Miss Ffowcs, athrawes blwyddyn pedwar, boster i fyny ar ddrws y stafell ddosbarth, a llythyr i'r plant fynd adre efo nhw.

"Dwi am i chi chwilio yn eich bocs teganau heno," meddai Miss Ffowcs wrth iddi rannu'r llythyrau. "Mae'n siŵr fod gennych chi rywbeth yno yr hoffech chi ei werthu ar stondin deganau'r ffair. A chofiwch, bydd pob ceiniog o elw'r stondin yn mynd at achos da."

Suddodd calon Dewi. Roedd ganddo feddwl y byd o bob un o'i deganau ac ni allai fyth ddewis pa rai yr oedd yn fodlon ffarwelio â nhw. Sylwodd fod ei ffrindiau, Ifan a Siôn, yn sgwrsio'n gyffrous am beth oedd ganddyn nhw i'w werthu ar y stondin deganau. Doedd Dewi ddim eisiau meddwl am y peth. Ciliodd i gornel yr ystafell ddosbarth i wneud anghenfil allan o Lego.

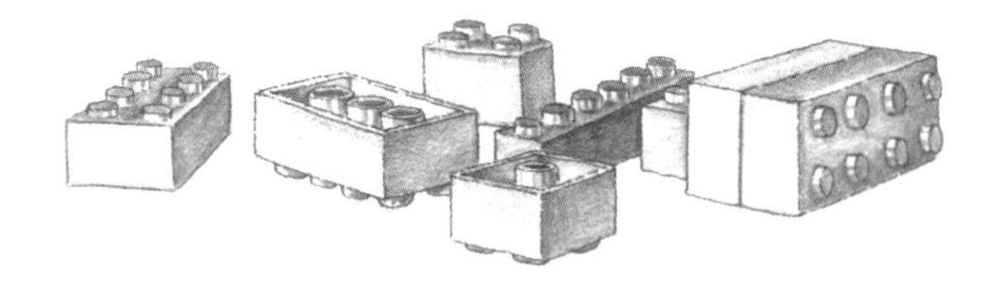

Wrth i Dewi gerdded adre o'r ysgol gyda'i chwaer Lili y prynhawn hwnnw, roedd yn dal i deimlo'n drist.

"Be sy'n bod, Dews?" holodd Lili. "Rhywun wedi dwyn dy greision di amser chwarae?"

Weithiau, roedd ei chwaer yn gallu gwneud i Dewi deimlo'n llawer gwaeth. Roedd Lili ym mlwyddyn chwech, a hon fyddai'r ffair sborion olaf cyn iddi adael Ysgol Pen Clip a mynd i'r ysgol fawr yn y dre.

"Oes rhaid i mi roi'r llythyr am y ffair sborion i Mam?" gofynnodd Dewi'n betrusgar. "Dydw i ddim eisiau rhoi fy nheganau i'r ffair!"

Stopiodd Lili'n stond a phlethu'i breichiau. Syllodd ar Dewi.

"Wyt ti'n gofyn i mi dwyllo Mam?"

Doedd Dewi ddim yn siŵr beth oedd o'n ei ofyn. Doedd o ddim eisiau twyllo'i fam, wrth gwrs, a doedd o ddim eisiau gwrthod helpu achos da chwaith. Ond roedd yn drueni fod hynny'n golygu ffarwelio â phethau oedd yn annwyl iddo …

Ar ôl swper, aeth Mam i'r garej a dod yn ei

hôl efo dau focs cardfwrdd brown. Rhoddodd un i Lili a'r llall i Dewi.

"Well i chi'ch dau fynd i lenwi'r bocsys yma, cyn i ni anghofio," meddai.

Dringodd Dewi'r grisiau'n araf, gan dynnu'r bocs cardfwrdd ar ei ôl. Llusgodd ei gist deganau i ganol ei stafell wely cyn eistedd ar y llawr a syllu'n drist arni am rai munudau.

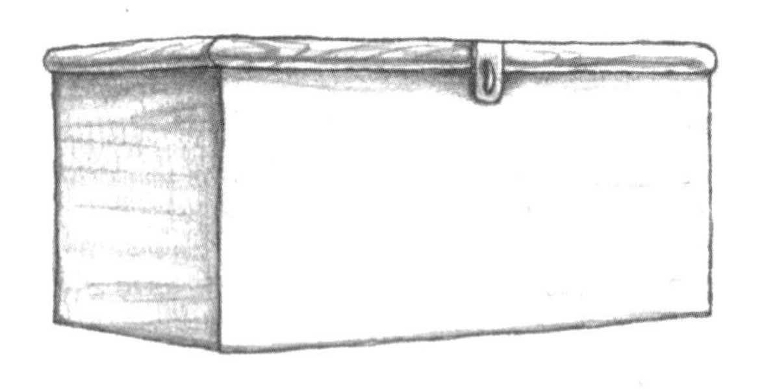

Pennod Dau

Roedd y gist yn llawn o bob math o deganau. Gafaelodd mewn jiráff mawr trwsgwl i ddechrau a chydio ynddo'n dynn. Roedd ei goesau hir yn mynd i bobman, a'i wddw'n hongian dros ysgwydd Dewi.

Taid a Nain oedd wedi prynu'r jiráff wedi iddo dorri'i fraich wrth ddringo'r goeden ym mhen draw'r ardd. Gallai Dewi gofio sut oedd o'n teimlo pan welodd wên fawr Taid ar ôl iddo gyrraedd y tŷ gyda'r jiráff dan ei fraich. Ni allai ffarwelio â'r jiráff.

Yna cydiodd mewn car bach coch a streipen wen sgleiniog ar hyd bob ochr iddo. Gwthiodd y car 'nôl a mlaen, 'nôl a mlaen ar hyd y carped, ac yna gollwng gafael. Diflannodd y car bach ar wib o dan y gwely. Gwenodd Dewi. Roedd y car fel petai'n gwneud ei orau i guddio rhag y bocs cardfwrdd brown! Na, ni allai ffarwelio â'r car bach coch chwaith.

Edrychodd Dewi yn y gist eto ac ochneidio. Roedd tedi bêr yno'n gwgu arno, a sowldiwr bach yn syllu arno mewn braw – ac roedd Dewi bron yn siŵr fod ceg yr hen lewpart melyn yn troi ar i lawr.

"Sut yn y byd ydw i am ddewis beth i'w roi ar gyfer y ffair sborion?" meddai Dewi'n uchel. Roedd yna stori gan bob un o'r teganau, rhywbeth oedd yn gwneud i Dewi wenu wrth gofio. Ni allai ddychmygu rhywun arall yn eu prynu heb wybod eu hanes. Yn waeth na hynny, beth petai rhywun yn eu prynu ac yna'n eu taflu'n ddi-hid i gornel stafell wely ddieithr?

Ac yna'n sydyn, cafodd Dewi syniad. Syniad campus oedd o hefyd! Dim ond teganau gwerth eu prynu fyddai'n cael mynd am byth i gartref dieithr. Y gamp felly oedd dewis tegan na fyddai neb arall ei eisiau. Tegan efo rhywbeth bach o'i le arno – digon i wneud i'r prynwr symud ymlaen a dewis tegan arall ar y stondin.

Fel hyn, byddai Dewi'n gwneud yn union beth oedd ei fam a Miss Ffowcs wedi gofyn iddo'i wneud, ond fe fyddai teganau Dewi'n cael dod adref efo fo ar ddiwedd y ffair.

Gan edrych yn llawer hapusach, dechreuodd Dewi chwilio a chwalu drwy'r gist unwaith eto.

Pennod Tri

Ymhen hir a hwyr, clywodd Dewi gnoc ar y drws, a daeth ei fam i mewn i'r stafell.

"Wel?" meddai Mam. "Wyt ti wedi dewis pa deganau wyt ti am eu rhoi ar stondin y ffair?"

"Do, Mam!" meddai Dewi'n falch, gan ddangos cynnwys y bocs cardfwrdd iddi.

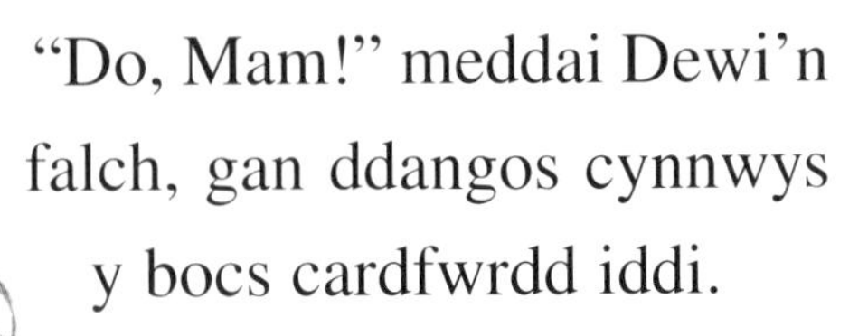

Tu mewn i'r bocs, roedd Robat y Robot –

robot gafodd Dewi ar ei ben-blwydd yn saith oed. Roedd Dewi wedi chwarae am oriau ar hyd llwybr yr ardd efo Robat, ond un prynhawn anghofiodd ddod â Robat ’nôl i’r tŷ. Daeth y glaw y noson honno, a doedd Robat druan heb weithio ers hynny. Fyddai neb eisiau prynu robot wedi torri, meddyliodd Dewi.

Yn gwmni i Robat, roedd Jaco’r mwnci. Edrychai Jaco’n smart iawn yn ei siwmper streipiog, ei fresys a’i drowsus coch, ond dim ond un llygad wydr oedd ganddo ers i gi Yncl Wil lyncu’r llygad arall! Er hynny, roedd Jaco’n dal i allu cofleidio Dewi pan oedd yn teimlo’n drist, ac roedd gan Dewi feddwl y byd ohono. Siawns na fyddai neb eisiau prynu mwnci unllygeidiog, meddyliodd Dewi.

Ac yna, yng nghornel y bocs brown, roedd Ela'r ferlen fach felen. Roedd Dewi wedi cynilo'i bres poced am fisoedd lawer er mwyn prynu Ela wedi iddo'i gweld mewn ffenest siop a syrthio mewn cariad â'i mwng euraid, ei ffwr melfedaidd a'i llygaid brown, annwyl. A phan wasgai Dewi glust Ela, byddai'r ceffyl bach yn gwneud sŵn gweryru, fel ceffyl go iawn. Ond roedd Ela'n fud ers tro bellach, a'i mwng bendigedig wedi mynd yn gnotiog a thenau. Fyddai neb eisiau prynu ceffyl bach mud efo mwng tenau, meddyliodd Dewi yn falch.

Chymerodd mam Dewi fawr o sylw o'r hyn oedd yn y bocs, dim ond cydio ynddo'n ddiolchgar a'i roi yng nghefn y car yn barod i fynd ag o i'r ysgol y bore canlynol.

Pennod Pedwar

Cyrhaeddodd diwrnod y ffair sborion ymhen dim o dro. Roedd yna gyffro drwy'r ysgol, a phawb wedi bod wrthi'n paratoi stondinau o bob math allan ar gae'r ysgol gan ei bod yn ddiwrnod heulog a braf.

Roedd yna stondin teisennau, stondin mefus, stondin dyfalu lle mae'r trysor, tombola, paentio wynebau, cystadlaethau sgorio gôl, twba lwcus, a chastell bownsio. Ac wrth gwrs, y stondin deganau.

Roedd Dewi wedi gobeithio y byddai'n teimlo'n iawn wrth weld Robat y Robot, Jaco'r mwnci ac Ela'r ferlen fach i gyd ar y stondin. Ond wrth weld y tri yn bentwr blêr yng nghanol y teganau dieithr eraill, teimlai

Dewi'n annifyr. Gweddïai na fyddai neb yn eu prynu, ac y byddai'n cael mynd â nhw adre'n ddiogel ar ddiwedd y ffair. Yn y cyfamser, gwnaeth ei orau glas i ymuno yn hwyl y ffair efo Ifan a Siôn.

"Tyrd i ni gael tro ar y twba lwcus!" meddai Siôn. Fel arfer, roedd Dewi wrth ei fodd yn chwilio trwy'r llwch llif i geisio dod o hyd i drysor. Ond dim heddiw. Heddiw, roedd Dewi'n teimlo ymhell o fod yn lwcus. Beth os na fyddai ei syniad campus yn gweithio wedi'r cyfan?

Ym mhen draw'r cae roedd cystadleuaeth sgorio gôl, ond doedd fawr o gic yn Dewi. Roedd o'n rhy brysur yn cadw llygad ar y stondin deganau o hyd, a phan ddaeth tro Dewi i geisio anelu am y gôl, glaniodd y bêl yn y gwrych.

Chwarddodd Ifan a Siôn. Doedden nhw ddim yn gwybod fod gan Dewi rywbeth arall ar ei feddwl, rhywbeth llawer pwysicach na chicio pêl.

Roedd hen wraig yn sefyll wrth y stondin deganau, rhywun nad oedd Dewi wedi ei gweld o'r blaen. Gallai Dewi weld yn glir ei bod hi'n gafael yn Jaco'r mwnci ac yn ei anwesu'n annwyl. Doedd hi ddim yn cymryd unrhyw sylw o'r teganau sgleiniog oedd o boptu iddo.

"Tyrd, Dewi! Tyrd draw at y castell bownsio!" gwaeddodd Ifan, a rhedodd Dewi ar ei ôl. Fel arfer, roedd Dewi wrth ei fodd yn cystadlu yn erbyn Siôn ac Ifan i weld pwy oedd yn gallu neidio uchaf. Ond doedd dim bowns yn Dewi heddiw, ac ymhen ychydig, daeth i lawr oddi ar y castell.

Dechreuodd gerdded i gyfeiriad y stondin deganau. Roedd yr hen wraig yn dal yno.

Sylwodd Dewi fod Robat y Robot bellach dan ei braich, a'i bod wrthi'n anwesu mwng tila Ela'r ferlen fach. Gwyliodd yn siomedig wrth i'r hen wraig dalu am Jaco, Robat ac Ela, ac yna dechreuodd hi gerdded oddi yno.

Cyn iddi gyrraedd at giât yr ysgol, trodd yn sydyn ac edrych i fyw llygad Dewi, fel petai hi rhywsut yn gwybod ei fod yn ei gwylio. Gwenodd wên fawr lydan arno, y math o wên sy'n gwneud i chi deimlo'n gynnes i

gyd tu mewn, ac yna gyda winc fach ddireidus, trodd yr hen wraig a cherdded i ffwrdd.

Pennod Pump

Cyrhaeddodd gwyliau'r haf ac roedd Dewi'n meddwl yn aml am y syniad da oedd wedi mynd o chwith. Pob tro roedd o'n estyn am ei gist i chwarae, meddyliai am ei deganau'n gadael y ffair gyda'r hen wraig fach glên. Ceisiai anwybyddu'r llais bach yn ei ben oedd yn dweud wrtho na fyddai byth yn eu gweld eto.

Un diwrnod, ffoniodd Ifan.

"Wyt ti eisiau dod draw i chwarae ar fy

ffrâm ddringo newydd i? Gallwn ni esgus bod yn fôr-ladron, ond fi fydd Barti Ddu!"

Gofynnodd Dewi am ganiatâd gan ei fam. Roedd mam Dewi'n nabod mam Ifan yn iawn, ac yn gwybod fod y daith i dŷ Ifan yn un fer a diogel ar hyd palmant ac yng nghanol tai.

"Wrth gwrs y cei di fynd," meddai hi, "ond mae'n rhaid i ti fod 'nôl adre erbyn amser te."

Aeth Dewi draw i dŷ Ifan, a chafodd y ddau hwyl yn yr ardd yn esgus mai llong oedd y

ffrâm ddringo, ac mai'r môr mawr oedd y glaswellt gwyrdd oddi tanynt.

Ddiwedd y prynhawn, ar ei ffordd adref, gwelodd Dewi lawer o bobol roedd yn eu nabod. Cododd law ar Mrs Oko a'r ddau efaill bach oedd newydd ddod adre ar ôl bod yn siopa yn y dre, a dywedodd helo wrth Mr Phipps oedd wrthi'n glanhau ei gar du, sgleiniog.

Roedd o bron â chyrraedd adre pan sylwodd ar y garej. Er ei fod o wedi cerdded i lawr y stryd yma sawl gwaith o'r blaen, doedd o

erioed wedi sylwi ar y garej cyn hyn. Mae'n rhaid ei bod yn garej newydd sbon, meddyliodd, ac eto, doedd hi ddim yn edrych yn newydd. Roedd y paent glas ar y drws wedi dechrau plicio i ffwrdd a thyfai eiddew gwyrdd yn drwch dros y cyfan. Sylwodd Dewi fod y drws yn gilagored a bod golau bach yn disgleirio yn nhywyllwch y garej.

Roedd calon Dewi'n curo fel drwm wrth iddo fentro'n nes ac yn nes at y drws …

Pennod Chwech

Ar gadair fach bren yng nghanol y garej, eisteddai'r hen wraig oedd yn y ffair sborion. Roedd hi'n brysur yn gwnïo yng ngolau lamp fechan.

Ar ei glin, gyda'i ddwylo mawr yn hongian dros ymyl y gadair, roedd Jaco'r mwnci un llygad! Cyflymodd anadl Dewi mewn braw. Sylwodd fod yr hen wraig wrthi'n trwsio llygad Jaco.

Cododd y wraig ei phen ac edrych arno. Gwenodd.

"Roeddwn i'n meddwl tybed pryd y byddet ti'n galw heibio, Dewi," meddai'r hen wraig.

Roedd cant a mil o gwestiynau yn rasio trwy ben Dewi. Sut oedd hon yn gwybod ei enw? A pham oedd hi'n disgwyl iddo alw heibio ac yntau'n gwybod dim am y lle? Ond y cyfan allai Dewi ei ddweud oedd rhyw sŵn od tebyg i 'Sh … Pa … Be … O!'

"Isio gwybod sut ydw i'n gwybod dy enw di wyt ti?" meddai'r hen wraig, a'i llygaid yn disgleirio fel dwy seren. "Fy ffrindiau bach newydd i sydd wedi dweud y cyfan wrtha i, Dewi. Tydi Jaco'n edrych yn smart rŵan?"

Edrychodd Dewi ar Jaco'r mwnci, ac edrychodd Jaco 'nôl ar Dewi. Roedd Dewi'n siŵr fod Jaco wedi rhoi winc bach sydyn iddo gyda'i lygad newydd.

"Fo ydy'r olaf o dy deganau di i gael eu trwsio. Dwi wedi bod yn brysur, wyddost ti!"

Doedd Dewi ddim wedi mentro i mewn i'r garej. Edrychodd i fyny ac i lawr Stryd y Bont y tu ôl iddo. Roedd Mrs Oko'n dal i gario'i bagiau siopa i mewn i'r tŷ, a Mr Phipps yn dal wrthi'n sgleinio'i gar. Doedd neb yn cymryd unrhyw sylw o gwbwl o'r garej fach.

"Wnes i ddim meddwl y byddwn i'n gweld Jaco eto," meddai Dewi. "Lle mae Robat y Robot ac Ela'r ferlen fach? Ydyn nhw yma hefyd?"

"Ydyn, wrth gwrs. Ac maen nhw fel newydd. Tyrd i edrych! Un cam! Tyrd!"

Mentrodd Dewi roi un droed i mewn i'r garej. Yno yn y gornel gallai weld Robat yn sgleinio â'i gefn yn syth fel sowldiwr. Roedd Ela wrth ei ochr, a'i mwng newydd fel petai wedi'i wneud o aur. O'u hamgylch roedd degau o deganau eraill o bob lliw a llun, pob

un wedi ei drwsio gan yr hen wraig glyfar.

"Fydda i'n mynd i ffeiriau sborion mewn gwahanol ardaloedd yng Nghymru ac yn prynu teganau sydd wedi torri. Wedyn mi fyddaf yn eu trwsio nhw ac yn eu gwneud fel newydd," eglurodd y wraig. "Os fyddi di eisiau dod yma rhywdro i chwarae efo Robat neu Ela neu Jaco, cnocia dair gwaith ar ddrws y garej ac fe wna i ei agor i ti, iawn?"

"Cnocio dair gwaith, cnocio dair gwaith … Iawn. Diolch," meddai Dewi, yn llawn cyffro.

"Ond rhaid i ti gofio un peth – fyddwn ni ond yma tra wyt ti angen i ni fod yma, tra wyt ti ein heisiau ni. Cofia di hynny, Dewi bach."

"D … Diolch yn fawr!" meddai Dewi, cyn troi'n ôl am y drws a cherdded allan.

Roedd calon Dewi'n rasio wrth iddo redeg am adref. Ofnai y byddai ei fam yn dweud y drefn wrtho am oedi yn lle dod adref yn syth fel yr oedd hi wedi'i rybuddio i wneud. Rhuthrodd i'r gegin gan weiddi, "Mam! 'Dach chi byth yn mynd i gredu hyn!"

Pennod Saith

"Be 'dan ni byth yn mynd i'w gredu?" meddai Lili, gan godi'i phen ac edrych ar Dewi gyda'i llygaid yn gul, yn barod i'w amau.

Doedd gan Dewi fawr o ddewis ond dechrau dweud hanes y garej, a'i galon yn dal i guro'n gyflym.

Ddywedodd neb air am rai eiliadau ar ôl i Dewi ddod at ddiwedd ei stori, ond yna dechreuodd Lili biffian chwerthin.

Edrychodd Dewi ar ei fam am gefnogaeth, ond dim ond ysgwyd ei phen a gwenu wnaeth Mam.

"Dewi bach ..." meddai, gan ddefnyddio'r llais yna roedd Dewi wedi'i glywed o'r blaen pan fyddai wedi gwneud rhywbeth dwl. "A ble mae'r garej yma ddywedest ti – ar Stryd y Bont? Yr un Stryd y Bont ag yr wyt ti'n cerdded ar ei hyd bob tro rwyt ti'n mynd i dŷ Ifan?"

Dechreuodd Lili rowlio'i llygaid. "Wyt ti wir yn meddwl ein bod ni'n ddigon twp i dy gredu di, Dewi?" meddai.

Gwgodd Dewi ar ei chwaer fawr. Yna, heb ddweud yr un gair arall, aeth i fyny'r grisiau ac i'w ystafell wely tan amser te.

Am y dyddiau nesaf, bu Dewi'n cicio'i sodlau o gwmpas y tŷ. Treuliodd y rhan fwyaf o'r amser yn chwarae â'r teganau oedd ganddo ar ôl. Ac yn meddwl.

Doedd o ddim yn synnu fod ei fam wedi methu credu hanes y garej. Nac yn synnu chwaith fod Lili wedi chwerthin am ei ben. Roedd yr holl beth i'w weld yn hollol hurt i Dewi ei hun. Sut yn y byd oedd yna hen garej wedi ymddangos o nunlle? A sut oedd modd i'r hen wraig o'r ffair sborion fod yno, yn ei nabod, ac yn trwsio'i deganau? Efallai ei fod o wedi breuddwydio'r cyfan!

Bu Siôn ac Ifan ar y ffôn, y ddau yn gofyn iddo fynd draw i

chwarae, ond dywedodd Dewi ei fod yn brysur. Doedd o ddim mewn hwyliau chwarae reslo na phêl-droed na môr-ladron. Ar ôl tri diwrnod, stopiodd Siôn ac Ifan ei ffonio.

Wedi pum niwrnod o aros yn y tŷ yn meddwl a meddwl, penderfynodd Dewi ei fod wedi cael digon. A oedd o wedi dychmygu gweld y garej a'r cyfan oedd y tu mewn iddi, ynteu oedd y garej yno o hyd? Roedd yn rhaid iddo gael gwybod y gwir!

Teimlai Dewi braidd yn nerfus wrth iddo droi i mewn i Stryd y Bont. Roedd ei galon yn curo fel drwm. Cododd ei law ar Mr Phipps oedd wrthi'n torri'r lawnt, a chodi bawd ar efeilliaid bach Mrs Oko oedd yn ei wylio drwy'r ffenest.

Daliai Dewi ei anadl wrth iddo nesáu at y lle. Ac yno, yn union fel o'r blaen, roedd drws bach glas efo'r paent yn plicio i ffwrdd, a'r eiddew yn dew dros y cyfan. Roedd y drws yn gilagored.

"Roeddwn i'n iawn!" meddai Dewi wrtho'i hun. "Nid breuddwyd oedd o!"

Cnocio dair gwaith. Dyna ddywedodd yr hen wraig wrtho ei wneud, yntê? Cnoc. Cnoc. Cnoc. Aeth Dewi at y drws a chau ei law yn ddwrn, yn barod i'w guro.

Ond y foment honno, clywodd sgrech. Trodd ei ben mewn braw. Dyna lle roedd Ifan yn gorwedd ar y palmant a'i feic ar lawr wrth ei ymyl. Roedd yn gafael yn ei goes ac yn griddfan mewn poen.

Edrychodd Dewi ar Ifan, yna'n ôl ar y garej lle roedd ei hoff deganau yn disgwyl amdano, ac mewn chwinciad roedd Dewi'n rhedeg tuag at ei ffrind.

"Dewi!" meddai Ifan, gan wenu arno drwy ei boen. "Dyna lwcus!"

"Lwcus? Ti'n galw syrthio oddi ar dy feic yn lwcus?"

"Dyna lwcus dy fod ti yma!" esboniodd Ifan. "Ar fy ffordd draw i dy weld di oeddwn i!"

Gwenodd y ddau ar ei gilydd, a sylwodd Dewi fod Ifan wedi colli un o'i ddannedd ers iddo ei weld ddiwethaf.

"Tyrd adre efo fi," meddai Dewi'n garedig. "Bydd Mam yn gwybod sut i drin y dolur 'na ar dy goes."

Pennod Wyth

Bu gweddill gwyliau'r haf yn hwyl. Roedd coes Ifan yn well ymhen diwrnod neu ddau, a chafodd Dewi, Siôn ac Ifan sbort wrth fynd i chwarae yn nhai ei gilydd bob dydd yn yr haul.

Roedd hi bron yn amser i fynd yn ôl i'r ysgol, a chael symud i fyny i ddosbarth Mrs Jones, cyn i Dewi gofio unwaith eto am y garej. Roedd o wedi bod yn rhy brysur yn chwarae â'i ffrindiau i fynd yno o gwbwl drwy'r haf.

Ar ddiwrnod ola'r gwyliau, penderfynodd y byddai'n well iddo fynd draw ar ei ben ei hun at yr hen wraig yn y garej, i gael gweld Jaco'r mwnci, Robat y Robot ac Ela'r ferlen fach.

Aeth i lawr Stryd y Bont, fel yr oedd wedi'i wneud o'r blaen. Doedd dim sôn am Mr

Phipps y tro hwn, a sylwodd fod arwydd “AR WERTH” wedi ymddangos ar dŷ Mrs Oko.

Arafodd Dewi wrth iddo nesáu at y garej. Arafodd, ac yna stopio’n stond. Doedd dim golwg o’r garej yn unman. Edrychodd i fyny ac i lawr y ffordd unwaith eto, i wneud yn siŵr ei fod yn y lle cywir. Oedd. Ond doedd y garej ddim yno, dim ond tŷ, yn union fel pob

tŷ arall yn y stryd.

Wedi sefyll yno'n syllu am eiliad, clywodd Dewi leisiau'n galw ei enw.

"Dewi! Dewi!"

Edrychodd i fyny'r stryd, a dyna lle'r oedd Ifan a Siôn yn rhedeg tuag ato.

"Fyddwn ni ond yma tra wyt ti angen i ni fod yma, tra wyt ti ein heisiau ni …" Dyna oedd yr hen wraig wedi ei ddweud, yntê?

Yn sydyn, gwenodd Dewi. Roedd yn deall. Cymerodd un cipolwg olaf ar y fan lle bu'r garej, cyn rhedeg i lawr y stryd i ymuno â'i ffrindiau.